D0237136

Religieus extremisme

Otto James

Corona
Een imprint van Ars Scribendi Uitgeverij

Oorspronkelijke titel Religious extremism

Productie De Laude Scriptorum BV, Etten-Leur, NL
Vertaling Hajo Geurink
Zetwerk Intertext, Antwerpen

ISBN 90-5566-176-7
EAN 978-90-5566-176-3

Voor vragen over de uitgaven van Ars Scribendi BV kunt u zich wenden tot de uitgever: Postbus 628, 4870 AP Etten-Leur, of onze website raadplegen: **www.arsscribendi.com**. De uitgever houdt zich niet verantwoordelijk voor fouten of misvattingen.

Fotoverantwoording
Alamy 8 (Paul M. Thompson); Art Archive 10 (Museo del Arte Antiga, Lissabon/Dagli Orti), 12 (Universiteitsbibliotheek, Genève/Dagli Orti); Empics 6 (Rajesh Kumar Singh/AP), (Aman Sharma/AP), 18 (AP), 26 (Carmen Taylor/AP), 28 (Mark Humphrey/AP), 33 (PA), 34 (AP), 39 (CP Canadian Press) 43 (Arman Sharma/AP);; Getty Images omslag voor, 9 (David Hume Kennerly), 14 (Anja Niedringhaus/AFP, 16 (Pius Utomi Ekpei/AFP), 17 (AFP), 25 (Romeo Gacad/AFP), 27 (Spencer Platt), 30 (Joe Traver), 35 (Shelly Katz), 36 (Asahi Shimbun/AFP), 38 (Robert Nickelsberg), 42 (Oleg Nikishin); Popperfoto.com 13; Reuters 1 (Abed Omar Qusini), 21 (Abed Omar Qusini), 24 (Jerry Lampen), 29 (Susana Vero), 31 (Charles W. Luzier), 37 (Toshiyuki Aizawa), 40 (Thaier Al-Sudani); Rex Features 5 (Israel Sun), 7, 15 (Action Press), 19 (SIPA), 23 (SIPA); Topfoto.co.uk 4, 11, 20, 22 (Ilyas Dean/Dean Pictures/The Image Works), 32 (Fujiphotos/The Image Works), 41 (Peter Hvizdak/The Image Works).

INHOUD

Wat is religieus extremisme?	4
Wat kenmerkt een extremist?	6
Waarom worden mensen extremist?	8
Is extremisme iets nieuws?	10
Christelijk extremisme	12
Kunnen politici extremisme veroorzaken?	14
Veroorzaakt armoede extremisme?	16
Wie bezit het land?	18
Van wie is Israël?	20
Wordt extremisme gevoed door de wereldpolitiek?	22
Worden moslims oneerlijk behandeld?	24
Wat drijft al-Qaida?	26
Veroorzaken christelijke extremisten conflicten?	28
Anti-abortusextremisme	30
Hoe ontstaan sekten?	32
Zijn sekten gevaarlijk?	34
Kunnen sekteleden terroristen worden?	36
Kunnen extremisten de macht grijpen?	38
Komt er ooit een eind aan extremisme?	40
Waar vinden religieuze conflicten plaats?	42
Chronologisch overzicht	44
Verklarende woordenlijst	46
Meer informatie	47
Register	48

WAT IS RELIGIEUS EXTREMISME?

De term 'religieus extremisme' beschrijft asociaal gedrag dat op godsdienstige opvattingen is gebaseerd. Soms behandelen mensen door hun extreme religieuze overtuigingen anderen als minderwaardig of fout. Extreme religieuze opvattingen kunnen tot geweld leiden.

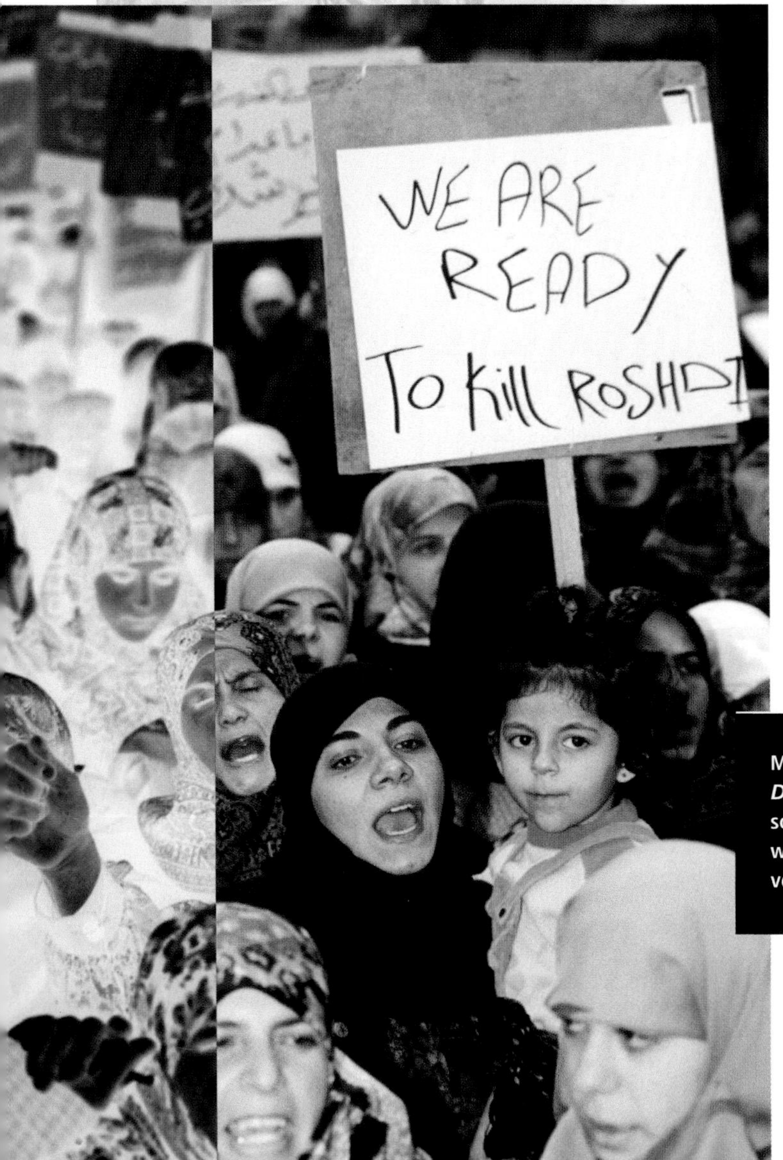

Moslima's protesteren tegen het boek *De satansverzen.* Ze wilden dat de schrijver, Salman Rushdie, vermoord werd, omdat ze zijn boek beledigend voor het islamitische geloof vonden.

Sterke opvattingen

Mensen met sterke religieuze opvattingen willen vaak hun kijk op de wereld opdringen aan anderen. Ze vinden dat alleen personen die hun 'ware' godsdienst aanhangen belangrijke beslissingen zouden mogen nemen. De Amerikaanse christelijke leider dominee Pat Robertson beweerde bijvoorbeeld in 1985:

> **"Niemand is geschikt om over anderen te regeren tenzij hij om te beginnen zelf geregeerd wordt door iets. En ik ken maar één regent die over het hele universum kan oordelen – de Almachtige God."**

Over de hele wereld plegen extremisten zelfmoordaanslagen – ze blazen zichzelf op een drukke plaats op in de hoop zoveel mogelijk andere mensen te doden. Bij deze aanslag op een bus in Jeruzalem kwamen de zelfmoordenaar en omstanders om.

Voortslepende conflicten

Soms besluiten extremisten geweld te gebruik om anderen hun wereldbeeld op te leggen. Ze plegen een aanslag op mensen die anders denken, vooral als de laatsten een tegengestelde mening verkondigen. Deze intolerantie voor andermans opvattingen kan tot langdurige conflicten leiden. Dr. Mahathir Mohamad, premier van Maleisië, zei in mei 2001:

“Intolerantie kweekt onrecht [oneerlijkheid]. Onrecht leidt onvermijdelijk tot rebellie en vergelding, en deze leiden weer tot toegenomen geweld... Eenmaal begonnen, neigen religieuze meningsverschillen ernaar zich almaar voort te slepen, een permanente vete te worden... Altijd zullen extremistische elementen in het – ingebeelde of echte – onrecht in het verleden een aanleiding vinden om de vredesinspanningen te torpederen.”

‘De potentie van een gewelddadig conflict... bestaat wanneer onze opvattingen ons opleggen iets agressiefs jegens anderen te doen... zoals hun land afpakken, omdat we geloven dat onze god het aan ons beloofd heeft.’

Dan Smith, *The State of the World Atlas,* uitgave 2003

WAT KENMERKT EEN EXTREMIST?

Religieus extremisme en geweld komen onder veel godsdiensten voor. Maar betekent dit dat iedereen wiens religieus gedrag extreem lijkt, ook een 'extremist' moet zijn?

Heilig offer

In India zwerven heilige mannen rond; ze bezitten nauwelijks iets en bedelen om voedsel en andere dingen die ze nodig hebben. Ze hopen door hun extreme leefstijl hun toewijding aan hun religie te bewijzen. In *Op het scherp van de snede* beschrijft de Amerikaanse schrijver Somerset Maugham zo'n heilige man:

"Ik keek om me heen en zag een bebaarde man met lang zwart haar, slechts gekleed in een lendendoek, met een staf en de bedelschaal van de heilige man... Hij zei dat hij te voet een pelgrimstocht naar de heilige plaatsen van India maakte."

Voor de meesten kan een dergelijke leefstijl extreem lijken – maar de heilige man is er nog niet per se een extremist door.

Een heilige hindoe op een van India's vele heilige plaatsen. De heilige mannen leven in extreme armoede en reizen uit devotie aan hun religie van plaats naar plaats.

"Geen enkele godsdienst is vrij van extremisme."

Abdelfattah Amor, Speciale Waarnemer van de Verenigde Naties voor Religieuze Onverdraagzaamheid

Deze Londense bus werd op 7 juli 2005 opgeblazen door islamitische zelfmoordenaars.

Extreme actie

In tegenstelling daarmee zouden de vier moslimextremisten die bij een aanslag in juli 2005 in Londen zichzelf en 52 onschuldige mensen doodden, een normaal leven geleid hebben. Een buurman van een van de zelfmoordenaars, Mohammad Sidique Khan, zei:

"Hij leek geen extremist te zijn. Hij sprak nooit over godsdienst. Het was een hartstikke aardige vent."

Sommige commentatoren vroegen zich af of godsdienst wel het echte motief was voor de aanslag. Zij suggereerden bijvoorbeeld dat de bomaanslagen wellicht een protest waren tegen de Britse en Amerikaanse acties in Afghanistan en Irak.

Wat er ook aan ten grondslag lag, Khan liet op 7 juli in een Londense metrotrein een bom afgaan die zeven mensen doodde. Dit gedrag maakte hem en zijn medezelfmoordenaars tot extremisten.

WAAROM WORDEN MENSEN EXTREMIST?

Niet elke gelovige is een extremist – de meesten zijn doodgewone mensen. Maar hoe komt het dan dat sommigen hun geloof tot in het extreme voeren?

Groepssteun

De Engelse Andrea sloot zich bij een religieuze groep aan, omdat ze zich verwelkomd en gesteund voelde door de leden daarvan:

"Ik groeide op in een christelijke omgeving, maar als tiener werd me duidelijk dat het "oneerbiedig" was als je te gelukkig was... Toen ik voor de eerste keer hier [bij de kerkgroep] kwam, voelde ik me geaccepteerd zoals ik was, hoe ik dan ook was of probeerde te zijn. Het verbaasde me dat ik in zo'n grote groep mensen de vrijheid bezat, en nog steeds bezit, om mijzelf te zijn."

Veel religieuze groepen promoten zichzelf en werven nieuwe leden op straat. Deze bus is van de christelijke organisatie het 'Jesus Army'.

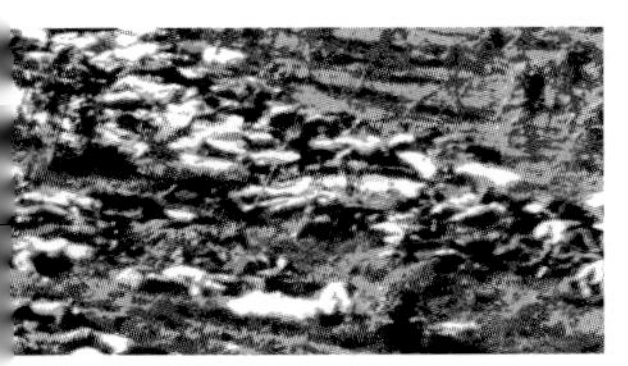

Geïsoleerde ideeën

Sommigen die zich bij een religieuze beweging aansluiten, raken uiteindelijk echter vervreemd van hun vrienden en familie. Een vrouw in de Verenigde Staten ontdekte dit toen haar dochter en een vriendin naar een godsdienstklas gingen:

“Ze keerde terug met kritiek op haar ouders, omdat ze een gewone baan hadden in plaats van zendelingen te zijn. Ze trouwde met een van de jongens uit de klas en samen stortten ze zich in het zendelingswerk.”

Wanneer mensen eenmaal geïsoleerd zijn, is het waarschijnlijker dat ze zich op extreme manieren gedragen. Kamal maakte eens deel van een extremistische moslimgroep uit, en zegt daarover:

“Je moeder en vader of broers en zussen zijn er niet om tegen je te zeggen: "Nee, Kamal, dat is niet het juiste om te doen." Het is daarom voor hen een stuk gemakkelijker om je ertoe over te halen op een bepaalde manier te handelen, omdat, zo houden ze voor, de Koran het zegt.”

Meer dan 900 mensen stierven toen de leider van hun christelijke sekte hen in 1978 ertoe overhaalde zelfmoord te plegen in hun geïsoleerde gemeenschap in Jonestown, Guyana.

“In een debat kan men zich op geen machtigere bondgenoot beroepen dan Jezus Christus, of God of Allah, of hoe men dit opperwezen ook noemt. Maar zoals met elk machtig wapen zou men Gods naam slechts spaarzaam te hulp moeten roepen.”

De Amerikaanse senator Barry Goldwater

IS EXTREMISME IETS NIEUWS?

Religieus extremisme is tegenwoordig volop in het nieuws - maar het is niet puur een modern probleem. De wereldgeschiedenis staat bol van de godsdienstige conflicten, die miljoenen mensen het leven hebben gekost.

De moslims heersten vanaf het begin van de achtste eeuw tot aan het eind van de vijftiende eeuw succesvol in Spanje, na op uitnodiging van een van de christelijke leiders van Spanje het land te zijn binnengekomen. Op dit schilderij wordt een latere strijd tussen christenen en moslims uitgebeeld.

Oud conflict

Mohammedaanse Arabieren, of 'Moren', waren eens de baas in Spanje. Van 727-1492 probeerden christenlegers Spanje te heroveren op de Moorse overheersers. Duizenden stierven in de strijd. De christelijke leiders zeiden tegen hun soldaten dat God aan hun kant stond. Zoals aartsbisschop Diego Gelmírez van Spanje in 1125 zei:

"Laat ons... soldaten van Christus zijn en zijn vijanden, de kwade Moren, verslaan."

Later, in de vijftiende en zestiende eeuw, vochten Spaanse christelijke strijders, bekend als *conquistadores* of veroveraars, in nieuw ontdekte landen in Zuid-Amerika. Ze dachten dat Sint Jacob (de beschermheilige van Spanje) aan hun zijde vocht in de strijd tegen de plaatselijke bevolking. De *conquistadores* voelden zich gerechtvaardigd de plaatselijke bevolking uit te moorden en hun land in bezit te nemen, omdat het geen christenen waren.

Opgesplitst land

Een ander voorbeeld van religieus conflict deed zich voor in 1947, toen India en Pakistan, daarvoor verenigd onder Brits bestuur, opeens onafhankelijke landen werden. In Pakistan woonden hoofdzakelijk moslims, in India voornamelijk hindoes. Velen zaten vast aan de 'verkeerde' kant van de grens tussen beide nieuwe landen. Wantrouwen en haat tussen hindoes en moslims barstten in geweld uit:

"De... slachtingen resulteerden in minstens één miljoen doden; het zwaarst getroffen werden de sikhs, die tussen beide vuren in zaten."

Op treinstations gebeurden de gruwelijkste dingen. Een verslag beschreef wat Britse autoriteiten aantroffen bij hun aankomst op een station in Lahore:

"Op de perrons spoot het spoorwegpersoneel met waterslangen plassen bloed weg en voerde stapels lijken af... Luttele minuten daarvoor was een laatste groep wanhopige reizigers door een bende afgeslacht terwijl ze rustig zaten te wachten op de Bombay Express."

Overvolle treinen brengen in 1947 hindoes van Pakistan naar India. Minstens 10 miljoen hindoes, moslims en sikhs sloegen op de vlucht, de meesten per trein.

"Als klein kind was ik ontsteld toen ik te weten kwam dat een aantal van mijn buren niet de echte eigenaar van hun huis waren. De echte eigenaren hadden gedwongen moeten vertrekken... De gewelddadige broedermoord en opdeling [van India] dwongen vele hindoefamilies uit mijn land te vluchten naar India, aan de andere kant van de grens. Tegelijkertijd verlieten veel moslimfamilies India en kwamen naar mijn land. Men vertelde dat al deze rampspoed door godsdienst werd veroorzaakt. Toen ik jong was, kon ik niet begrijpen wat voor soort godsdienst dat dan moest zijn."

Taslima Nasrin, Bengalese actievoerster voor mensenrechten

CHRISTELIJK EXTREMISME

Vele godsdiensten hebben volgelingen die door anderen aangeduid worden als 'extremisten'. Ook het christendom kent een vele eeuwen omspannende geschiedenis van extremisme.

'Valse gelovigen'

De middeleeuwse christelijke kerk wilde er zeker van zijn dat alle christenen dezelfde geloofsopvattingen deelden. Andersdenkenden werden tot 'ketters' bestempeld – mensen die een vals geloof belijden. Sommige ketters belandden als straf op de brandstapel. Een van hen was de Engelsman John Hooper, bisschop van Gloucester, die in 1555 voor 7000 toeschouwers een afschuwelijke dood stierf. Schrijver Henry Moore berichtte:

"Het bevel om de brandstapel aan te steken werd gegeven... er ontbrandde een laaiend vuur, maar Hooper bleef in leven... Het vuur zwakte af en er moest meer tondel op... Nu was zijn hele onderlichaam weggebrand en daarop barstten zijn ingewanden open... kort daarna rolde hij om en viel in de sintels... Het duurde bijna een uur voordat de bisschop op de brandstapel gestorven was."

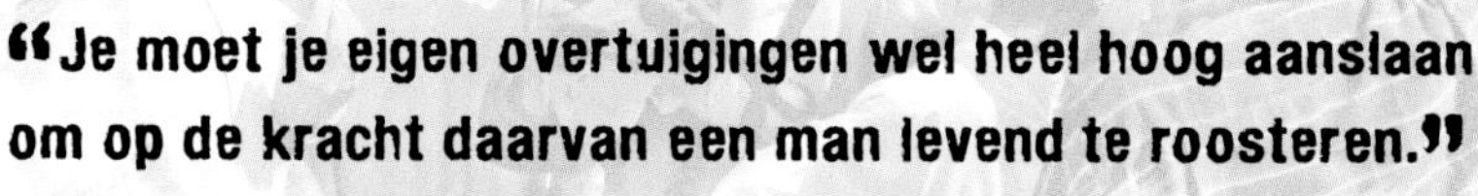

"Je moet je eigen overtuigingen wel heel hoog aanslaan om op de kracht daarvan een man levend te roosteren."

Michel de Montaigne (1533-92), Franse schrijver en filosoof.

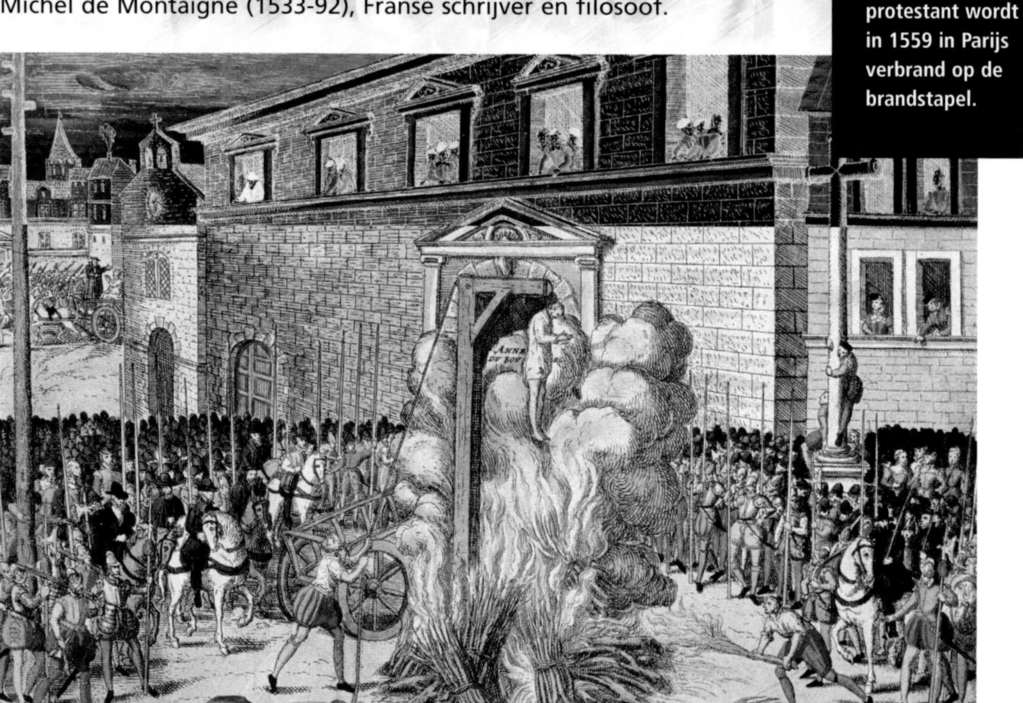

Een Franse protestant wordt in 1559 in Parijs verbrand op de brandstapel.

Leden van de Ku Klux Klan tijdens een bijeenkomst. Ondanks hun komische uiterlijk vermoordden christelijke Klan-leden vele zwarte Amerikanen, met name in de zuidelijke staten van de VS.

'Gods uitverkoren ras'

In de 19de en 20ste eeuw vermengde een extremistische 'Christelijke Identiteit'-beweging het christendom met racisme en antisemitisme (jodenhaat). Haar filosofie draaide rond de overtuiging dat blanke mensen Gods uitverkoren ras zijn. In de zuidelijke staten van de VS lynchten zulke groepen, waaronder de Ku Klux Klan, vele tegenstanders. In 1930 schreef dr. Arthur Raper:

"Tussen 1889 en 1930 werden in de Verenigde Staten 3724 mensen gelyncht. Meer dan vier vijfde van hen was zwart. Nagenoeg alle lynchers waren blanke Amerikanen... Een aantal slachtoffers werd gemarteld, verminkt, achter paarden aangesleept of verbrand."

Volgens de FBI geloven Christelijke Identiteit-aanhangers van nu dat:

"... ze de laatste verdedigingslijn voor het blanke ras en christelijk Amerika zijn... Ze volgen een survival- en paramilitaire training en hamsteren voedsel, voorraden en wapens en munitie."

KUNNEN POLITICI EXTREMISME VEROORZAKEN?

Sommige politici zijn ervan beschuldigd dat ze religieuze gevoelens hebben gebruikt voor hun eigen voordeel. In India, Pakistan, Midden-Europa, Noord-Afrika, Israël en vele andere plaatsen vinden we voorbeelden.

Van harmonie...

In Bosnië leefden moslims en christenen eens vreedzaam naast elkaar, zoals Zahid Olorcic zich herinnert:

"Bij begrafenissen, bruiloften, verjaardagen telden we nooit hoeveel moslims er waren en hoeveel Serviërs en Kroaten. Het enige wat ertoe deed, was dat we samen waren en plezier maakten en wat dronken. Zo was het zoveel jaar dat ik nooit had gedacht dat het zou veranderen."

Maar het veranderde wél toen christelijke Servische politici haat tegen moslims begonnen aan te wakkeren.

De Servische politicus Radovan Karadzic wijst journalisten op een kaart aan hoe Bosnië verdeeld is over verschillende godsdiensten en culturen.

... naar haat

De Servische politicus Radovan Karadzic zei indertijd tegen een krant:

“We weten dat moslims en Serviërs niet bij elkaar willen horen. De internationale gemeenschap en de moslims moeten accepteren dat dit land eens totaal Servisch was.”

Niet lang daarna begonnen Servische soldaten moslims uit 'hun land' te verdrijven. Het was het begin van een wrede oorlog en duizenden moslims werden gedood. Karadzics oude buren, van wie velen moslim waren, konden nauwelijks geloven wat er gebeurde:

“Het is een raadsel... De helft van onze buren is nu dood [door hem] en de meesten van hen waren Karadzics eerste buren. Hij zegt nu dat hij niet met moslims kan samenleven. [Destijds] hielpen moslims hem het meest!”

De Verenigde Naties achtten Karadzic schuldig aan oorlogsmisdaden. In november 1995 werd hij aangeklaagd wegens genocide. Hem werd tevens ten laste gelegd nog eens duizenden moslims meer in concentratiekampen opgesloten te hebben.

In de hoofdstad van Bosnië, Sarajevo, diende het oude Olympisch Stadion als kerkhof voor oorlogsslachtoffers.

“Ik geloof in een Amerika dat officieel katholiek noch protestants of joods is... waar geen enkele religieuze organisatie haar wil direct of indirect probeert op te leggen aan de bevolking of de openbare daden van zijn functionarissen.”

John F. Kennedy, Amerikaanse president van 1961-1963, verklarend dat volgens hem godsdienst en politiek gescheiden dienen te blijven.

VEROORZAAKT ARMOEDE EXTREMISME?

Soms houdt religieus extremisme nauw verband met armoede. In arme gebieden - van het Midden-Oosten en Azië tot de VS, Groot-Brittannië, Spanje of Duitsland - zijn altijd wel extremistische groepen actief.

Hoop voor de armen?

Overal ter wereld leven mensen in armoede. Ze hebben nauwelijks geld of te eten, en leven in ongezonde omstandigheden. Het verrast nauwelijks dat ze graag over andere manieren van leven horen. Eén schrijver zegt:

"Loop tijdens lunchtijd door Nairobi, de hoofdstad van Kenia, en je ziet horden armen luisteren naar warrige profeten die dweperig hoop preken."

En de christen Mozes in Kenia merkt op:

"Wanneer je je kinderen niet te eten kunt geven, wanneer je salaris minder is dan je levenskosten, is het moeilijk om te geloven dat de wereld goed is. Ik geloof liever in een andere wereld, een wereld die niet door de mens, maar door God is gemaakt. Misschien bestaat die wereld alleen wanneer we sterven, maar ze is beslist een betere plaats."

In 2004 voerden Nigeriaanse christenen aanvallen uit op plaatselijke moslims. Na wraakacties van de moslims moesten sommige christenen hun toevlucht zoeken in deze kerk, die ironisch genoeg het teken draagt van een 'Love Crusade'.

Gevaarlijke rijkdom

Aan de andere kant zijn sommige religieuze extremisten steenrijk. Een voorbeeld is de extremistische moslimleider Osama bin Laden. Bin Laden wordt verantwoordelijk gehouden voor talloze terroristische aanslagen door moslims.

"Autoriteiten in een heleboel landen, waaronder de Verenigde Staten, zeggen dat Bin Laden aanslagen in Europa, Afrika en het Midden-Oosten gefinancierd heeft. Zijn persoonlijke rijkdom wordt op 250 miljoen Amerikaanse dollar geschat."

Andere religieuze extremisten komen eveneens uit rijke families. Daar kun je uit concluderen dat armoede wel deels verantwoordelijk voor extremisme, maar niet de enige oorzaak is.

De extremistische moslimleider Osama bin Laden komt uit een steenrijke Saoedi-Arabische familie, en is zelf miljonair.

WIE BEZIT HET LAND?

Veel religieuze conflicten in de wereld zijn nauw verbonden met een strijd om land. Soms wordt er al eeuwen gevochten, en eisen twee of meer godsdiensten het land voor zichzelf op.

Tamils en Sri Lanka

De bevolking van Sri Lanka is voor ca. 70 procent boeddhist. Op het eiland bestaan grote spanningen tussen de boeddhisten en Tamils, die merendeels hindoe zijn. Hindoeleider Kandiah Neelakandan zegt:

"Zelfs in Colombo [de hoofdstad van Sri Lanka] hebben Tamil-kinderen alle hoop verloren. Ze willen allemaal naar het buitenland, omdat ze daar geen toekomst hebben."

Veel Tamils die een land voor zichzelf willen, steunen de Tamil Tijgers, een terroristische groep. Hoewel de Tijgers alle godsdiensten afwijzen, is het conflict geworteld in verschillen tussen elkaar bestrijdende religies. Een Tamil-jongen zegt:

"De [Tijgers] vechten... voor een onafhankelijk eigen land en wij willen dat ook, omdat het vrijheid zou betekenen."

Jonge Tamil Tijgers in een trainingskamp op Sri Lanka. De Tijgers pasten als een van de eerste groepen zelfmoordaanslagen toe als aanvalswapen.

Deze Kroatische vrouw staat voor de ruïnes van haar huis, dat verwoest werd door een in een vrachtwagen geplante bom.

GELOOFS-SLACHTOFFERS

Aantal doden door geweld in gebieden met religieuze conflicten, tot 1999:

India/Pakistan:	30-70.000
Kosovo:	18.000
Oost-Timor:	200.000
Sri Lanka:	60.000+
Tsjetsjenië:	5000

Bron: A.J. Jongman, 'Downward Trend in Armed Conflicts Reversed'

Eindeloos conflict

Het conflict in Sri Lanka heeft al vele levens gekost. Het gaat van de ene op de volgende generatie over. Een 12-jarige hindoejongen, wiens ouders in de strijd omgekomen zijn, zegt:

"We willen de dood van onze ouders wreken door de verantwoordelijke soldaten te vermoorden."

Is het onontkoombaar dat een religieus conflict vele generaties voortgezet wordt? In Bosnië stierven tienduizenden mensen toen christelijke Serviërs met islamitische Bosniërs en christelijke Kroaten om het land vochten. Lana Obradovic is een studente uit Bosnië. Haar vader, opa en neven zijn in het religieuze conflict omgekomen. Zij zegt:

"De oorlog heeft alles in mijn leven veranderd, en ik was een van de duizenden die met de etnische zuivering in mijn stad gedwongen moesten verhuizen. Maar mij heeft het allemaal niet veranderd. Ik heb NIET geleerd mijn buren te haten en zal dat ook nooit doen."

VAN WIE IS ISRAËL?

Een van de oudste religieuze conflicten om land voltrekt zich tot op vandaag in Israël. Hier bestrijden Joden en Arabieren elkaar al een eeuw. De moderne versie van het conflict begon met de stichting van de staat Israël in 1948.

Verdreven

In 1948 werd het land dat nu Israël is opgedeeld tussen Joden en Arabische, voornamelijk islamitische, Palestijnen. Maar de Palestijnen weigerden dat te aanvaarden, omdat het grootste deel van het 'Joodse' land al generaties lang door Palestijnen werd bewoond. In de daaropvolgende oorlog bezetten Israëlische joden grote delen van het Palestijnse grondgebied. Een rapport verklaarde:

"700.000 Palestijnse vluchtelingen werden direct voor, tijdens en na de oorlog gedwongen hun vaderland te verlaten. De gelukkigen kwamen in andere Arabische landen terecht, de rest werd in kampen geïnterneerd. Dat heeft alleen maar nog meer conflict aangewakkerd."

Palestijnse vluchtelingen arriveren, op de vlucht voor de gevechten, in 1949 in Gaza. Zestig jaar later wonen veel vluchtelingen daar nog steeds.

"De overwinning in de Onafhankelijkheidsoorlog heeft ons, hoe glorieus ze ook was, meer dan 5000 kostbare levens gekost. Maar zo er ooit Joden niet voor niets zijn gestorven, dan was het toen.'

Israël, jaren van uitdaging door Davin Ben Goerion (Israëls eerste premier)

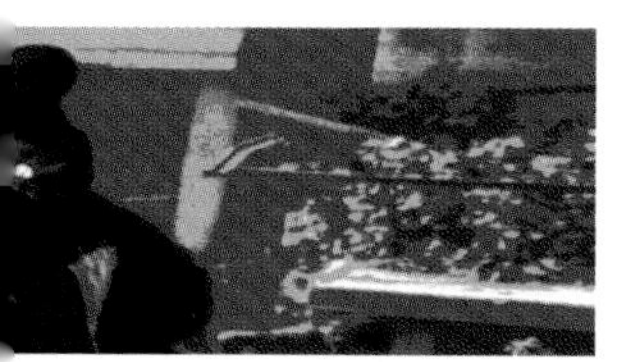

Geweld van beide kanten

Sinds 1948 proberen de Palestijnen hun land terug te krijgen. Beide partijen deinzen niet terug voor geweld, integendeel. Zelfmoordenaars plegen bijvoorbeeld namens moslimgroepen aanslagen op joodse doelen. De vader van een zelfmoordenaar zei:

"Ik ben erg gelukkig en trots op wat mijn zoon heeft gedaan... [Hij was] als kind al zeer vroom; hij bad en vastte."

Veel gewone mensen aan beide kanten zijn de situatie meer dan beu, en willen dat de extremisten ophouden. Een vrouw verklaart:

"Geen enkel doel, hoe lovenswaardig ook, kan het rechtvaardigen dat je burgers opblaast... die in een hotel feesten of in een café zitten..."

Deze Palestijnen proberen een bulldozer van het Israëlische leger tegen te houden die hun huizen komt vernietigen.

BOMSTATISTIEKEN

Van de zelfmoordenaars in Israël:

- heeft 47% een academische en nog eens 29% minstens een hogere middelbare opleiding genoten
- is 83% vrijgezel
- is 64% tussen 18 en 23 jaar; de meeste overigen zijn onder de 30
- is 68% afkomstig uit de Gazastrook.

In september 2005 begon Israël joodse kolonisten te evacueren uit voormalige Palestijnse gebieden in de Gazastrook. Velen hoopten dat deze stap zou bijdragen aan vreedzamere verhoudingen tussen beide gemeenschappen.

WORDT EXTREMISME GEVOED DOOR DE WERELDPOLITIEK?

Volgens sommigen wordt religieus extremisme door de handelwijzen van regeringen veroorzaakt of aangemoedigd. Een aantal mensen stelt zelfs dat de acties van de regering in het ene land tot gevolg hebben dat het extremisme elders groeit.

Het is de schuld van Amerika...

In 1998 verklaarde een Arabische krant in een redactioneel commentaar over moslimaanslagen op niet-moslimdoelen:

"De aanslagen en het anti-Amerikaanse geweld komen niet als verrassing. Het zijn de Amerikanen die dit geweld in de wereld gebracht en heel lang bedreven hebben. Ze kunnen het alleen maar aan zichzelf wijten."

In de ogen van veel moslims steunen de Verenigde Staten Israël. De Israëlische joden proberen met geweldstactieken de Palestijnse gebieden onder de duim te houden. Is het dan, redeneren moslims, verwonderlijk dat aanhangers van de Palestijnse zaak terugvechten tegen Israël en zijn bondgenoot, de VS?

Moslims verbranden tijdens een demonstratie in Karachi in Pakistan een Amerikaanse vlag.

"In zijn steun aan de Israëlische bezetting van Palestina heeft Amerika uiterst onrechtvaardige, achterbakse en criminele daden begaan."

Osama bin Laden, in mei 1997 in een interview met CNN

"Sommige moslims [vinden] dat hun eigen regering... corrupt is, het eigen volk onderdrukt en verraad pleegt door valse westerse idealen aan te hangen. Amerikaanse steun aan deze regimes wordt soms gezien als een koehandel voor toegang tot energiebronnen en het recht legerbases in te richten."

Anti-American Violence: An Agenda for Honest Thinking, door C. Richard Neu van de beleidsadviesgroep RAND

De nasleep van een bomaanslag door moslims op het hindoeïstische eiland Bali, waarbij honderden mensen omkwamen. Bali was het doelwit, omdat het een populaire vakantiebestemming is voor westerlingen.

Wraakaanslagen

Een moslim zei dat de activiteiten van de VS in het buitenland:

"... alleen maar haat tegen Amerika en Amerikanen kunnen aanwakkeren – en dat precies gebeurt ook, van het verre oosten tot het verre westen. Elke dag zijn we getuige van [geweld] tegen Amerikaanse soldaten, burgerbedrijven, restaurants en legerbases, en alle veiligheidsmaatregelen kunnen dat niet voorkomen."

Na de bomaanslagen door moslimterroristen in 2005 in Londen was het Britse parlementslid George Galloway een van degenen die de schuld daarvoor deels bij de internationale verhoudingen legden:

"We hadden, net zoals de veiligheidsdiensten van dit land, voorzien dat door de aanvallen op Afghanistan en Irak [waar Britse soldaten deelnamen aan door Amerika geleide invasies in moslimlanden] de dreiging van terreuraanslagen in Groot-Brittannië zou toenemen. Tragisch genoeg hebben Londenaren nu de tol betaald voor het negeren van de waarschuwingen door de regering."

WORDEN MOSLIMS ONEERLIJK BEHANDELD?

Moslimextremisten – uit Afghanistan, Irak, Iran, Indonesië en elders – krijgen veel publiciteit. Het kan lijken of alle moslims extremisten moeten zijn vanwege hun sterke geloof. Is dat echt het geval?

Strikte sharia

De Koran – het islamitische heilige boek – schrijft strenge wetten voor. Deze worden de sharia genoemd, en vormen een belangrijke grondslag voor de moslimcultuur. Een Nederlandse moslim zegt:

'De sharia hoeft zich niet aan de moderne wereld aan te passen, omdat haar wetten goddelijk zijn. Mensen moeten zich onderwerpen aan de sharia.'

Veel moslims vinden dat iedereen ter wereld de sharia zou moeten gehoorzamen. Zoals een Britse bron meldde:

"In Londen verklaarde [moslimleider] sjeik Omar Bakri openlijk dat het zijn intentie was om... de sharia te vestigen op Britse bodem. "Ik wil de zwarte vlag van de islam zien waaien boven Downing Street," zei hij."

Maar veel niet-moslims zeggen dat de door de sharia opgelegde beperkingen onverenigbaar zijn met de vrijheden van het Westen.

Nederlanders houden foto's omhoog van de in 2002 vermoorde politicus Pim Fortuyn. Fortuyn sprak zich openlijk uit tegen immigratie. Fortuyn werd niet vermoord door een moslimextremist maar door een milieuactivist. In 2004 werd de Nederlandse schrijver en filmmaker Theo van Gogh wel vermoord vanwege zijn opvattingen over moslims.

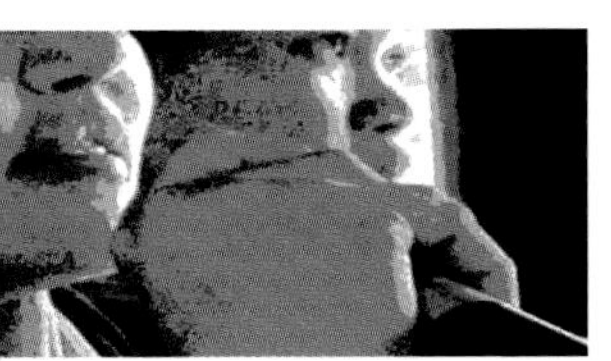

Een moslima voert actie voor haar man, die in 2004 gearresteerd werd op verdenking van terrorisme. Hij werd later vrijgelaten.

Verkeerd begrepen?

Sommige politieke leiders vinden dat moslims en hun waarden een belangrijke rol in de samenleving spelen. Zo zei de Amerikaanse president George W. Bush:

“Moslims leveren een ongelooflijk waardevolle bijdrage aan ons land. Moslims zijn artsen, advocaten en juristen, militairen, ondernemers, winkeliers, moeders en vaders... Ze moeten met respect behandeld worden.”

Niettemin vrezen veel moslims dat de daden van een handvol extremisten ook hun aangerekend worden. Na de bomaanslagen in Londen in 2005 meldde een krant:

“De vrees groeit dat de bomaanslagen, waarbij meer dan 50 mensen omkwamen en nog eens 700 meer gewond raakten, vergolden zullen worden aan Britse moslims.”

Dat ondanks de woorden van de secretaris-generaal van de Moslimraad van Groot-Brittannië:

“Degenen achter deze gruweldaad zijn niet alleen de vijanden van de mensheid, maar van de islam en moslims. Naast de slachtoffers van de aanslagen zelf zullen even goed alle moslims lijden onder de repercussies daarvan.”

DISCRIMINATIE?

In 2003 meldde de Raad voor Amerikaans-Islamitische Betrekkingen dat de anti-moslimgevoelens gestaag toenamen:

- **In 2003 werden 602 klachten over discriminatie ontvangen.**
- **Dat was een toename van 15% t.o.v. 2002 en 64% t.o.v. 2001.**

WAT DRIJFT AL-QAIDA?

Al-Qaida is de beroemdste islamitische terreurgroep. Nauwelijks iemand zal weerspreken dat de groep extremistisch is in haar opstelling en methoden. Maar wat zijn de motieven van de groep?

Bij de terreuraanslagen in 2001 liet al-Qaida onder meer opzettelijk vliegtuigen crashen op het World Trade Center in New York.

DODENCIJFERS 9/11

Aantal dodelijke slachtoffers van de aanslagen op de VS op 11 september 2001:

World Trade Center	2595
Vlucht 11	92
Vlucht 175	65
Pentagon	125
Vlucht 77	64
Vlucht 93 Shanksville	45
Totaal	2986

'Bescherming van Arabië'

Al-Qaida wordt geleid door Osama bin Laden (foto op blz. 17), 's werelds meest gezochte man. Hij steunde de aanslagen van al-Qaida op 11 september 2001, waarbij gekaapte vliegtuigen op doelen in de VS crashten en 2986 mensen omkwamen.

Volgens Bin Laden heeft al-Qaida het recht de VS aan te vallen, omdat het land soldaten heeft in Arabië, een heilig land voor moslims:

"De aanwezigheid van het Amerikaanse (christelijke) kruisvaardersleger in de Perzische Golf vormt het grootste gevaar en kwaad dat de grootste oliereserves ter wereld bedreigt... De ongelovigen moeten van het Arabische Schiereiland verdreven worden."

Een Afghaans meisje dwaalt door een vluchtelingenkamp in Pakistan. Ten tijde van de aanslagen op 11 september had al-Qaida zijn basis in Afghanistan, maar veel Afghaanse moslims vluchtten voor het extremistische regime in het land.

Te ver gaand

Na de aanslagen een maand eerder, waarbij zoveel mensen (onder wie ook moslims) omgekomen waren, zei Osama bin Laden in oktober 2001:

“Ons terrorisme is een goed, aanvaardbaar terrorisme, omdat het tegen Amerika is. Het helpt de onderdrukking te verslaan, zodat Amerika niet langer Israël, dat onze kinderen doodt, steunt.”

Moslims en niet-moslims veroordelen eensgezind Bin Laden. Zoals een moslimschrijver zei:

“Hij heeft de islam belasterd. Hij heeft de heilige principes van de islam misbruikt als excuus om dood en verderf te zaaien. Hij heeft de oorlog aan de VS verklaard en alle moslims opgeroepen Amerikanen te vermoorden, waardoor moslims doelwitten van vergeldingsacties zijn geworden. Hij heeft miljoenen Afghanen aan oorlog, hongerdood en misère blootgesteld om zijn vege lijf te redden. Was hij een held, dan zou hij zich overgeven. Niet omdat hij schuldig zou zijn, maar om arme onschuldige moslims de oorlogsrampspoed te besparen.”

VEROORZAKEN CHRISTELIJKE EXTREMISTEN CONFLICTEN?

Op diverse plaatsen in de wereld willen christelijke leiders nog altijd niet naast en met andere geloven leven. Ze bedienen zich van taal die mensen ertoe aanmoedigt andere godsdiensten als de 'vijand' te zien.

Veroordeling van de islam

Sommige christelijke leiders stellen zich tegenwoordig vooral agressief op tegenover moslims. De Amerikaanse dominee Jerry Falwell zei bijvoorbeeld in het tv-programma *60 Minutes* dat de islam 'haat leert' en Mohammed 'een terrorist' was. Op zijn beurt noemde dominee Pat Robertson, oprichter van de Christelijke Coalitie, in het programma *Hannity and Colmes* Mohammed:

"... een absoluut krankzinnige fanaat. Hij was een struikrover en bandiet. En zeggen dat deze terroristen de islam verdraaien... ze brengen de islam in praktijk. Ik bedoel, deze man [Mohammed] was een moordenaar."

Dominee Jerry Falwell tijdens een toespraak in 2005.

Christelijke extremisten koesteren sterke meningen over veel controversiële onderwerpen. Hier protesteren Spaanse christenen in 2005 tegen het homohuwelijk.

Religieus fanatisme?

Sommige christenen willen dat anderen ook hun meningen over andere onderwerpen overnemen. Zo maakte een man op een Amerikaanse christelijke website bezwaar tegen vrouwen die sport bedrijven:

“Sport dwarsboomt de ontwikkeling van het goddelijke, bijbelse, vrouwelijke karakter... Ik hoop dat jullie het met mij eens zijn dat we onze dochters moeten weghouden van competitiesporten, en onze tijd moeten besteden aan hen erin te trainen hoe ze in bijbelse zin vrouwelijke vrouwen, echtgenotes en moeders moeten zijn.”

Volgens sommigen wordt het steeds waarschijnlijker dat christenen extreme methoden gaan gebruiken om hun meningen op te leggen. Op een andere website sprak iemand de vrees uit:

“Christelijke extremisten bedienen zich steeds vaker van geweld. Namen ze eens genoegen met... symbolische gebaren als ‘God zij met ons’ op munten, nu gaan ze over tot geweld... [We zouden] ons meer zorgen moeten maken over de opkomst van religieus fanatisme.”

ANTI-ABORTUSEXTREMISME

Een kwestie waardoor sommige christenen in conflict komen met anderen, is abortus. Bij een abortus besluit een vrouw de foetus in haar buik niet ter wereld te brengen. In plaats daarvan beëindigt ze doelbewust haar zwangerschap.

Een dominee gaat voor in het gebed tijdens een antiabortusdemonstratie in Buffalo, VS.

Babymoord?

Christelijke tegenstanders zeggen dat abortus een vorm van moord is, omdat het een eind aan een menselijk leven maakt. In 1993 werd dr. David Gunn doodgeschoten voor zijn abortuskliniek in Florida in de Verenigde Staten. Zijn moordenaar, Michael Griffin, zei later:

"Ik vroeg de Heer wat hij wilde dat ik deed... En de Heer vertelde mij [over dr. Gun]: dat hij schuldig was bevonden aan moord en zijn vonnis Genesis 9:6 was: "Wie bloed van mensen vergiet, diens bloed wordt door mensen vergoten."

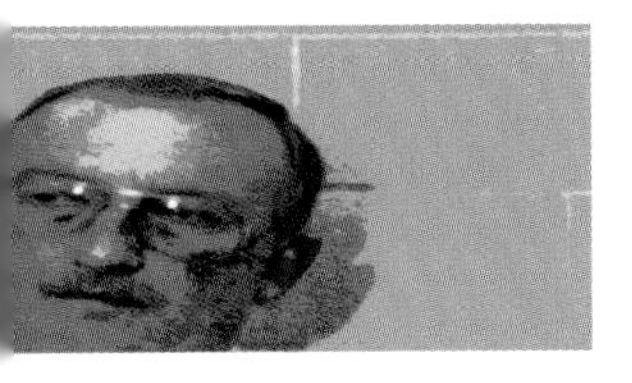

ABORTUSAANSLAGEN

Gerapporteerde aanslagen en acties tegen abortusklinieken

JAAR	MOORD/ MOORDAANSLAGEN	BOMAANSLAGEN, BRANDSTICHTING OF POGINGEN DAARTOE	DEMONSTRATIES VOOR KLINIEKEN
1989	0	11	72
1991	2	10	292
1993	2	20	2279
1995	1	16	1356
1997	2	16	7518
1999	0	10	8727
2001	0	5	9969
2003	0	3	11.244

Bron: De Nationale Abortusfederatie, 'Incidenten van geweld en verstoring tegen abortusfaciliteiten' in de Verenigde Staten en Canada

Vrije keus?

De meeste mensen wijzen de agressieve tactieken van christelijke antiabortusactivisten af. Sommigen zeggen dat vrouwen de vrijheid moeten genieten om zelf te beslissen of ze een baby willen of niet:

"Het is de ultieme ironie dat mensen die een liefdevolle God beweren te vertegenwoordigen naar schriktactieken grijpen en angst zaaien... Het is zelfs nog erger wanneer je erbij stilstaat dat de meeste vrouwen die zich laten aborteren net de moeilijkste beslissing van hun leven hebben genomen. Niemand staat te juichen bij abortus. Niemand probeert zwanger te worden alleen maar om de zwangerschap te kunnen afbreken. Hoewel het geen moord is, elimineer je nog steeds een potentiële persoon, een potentiële dochter, een potentiële zoon. Het is op zich al ellendig genoeg. Vrouwen kunnen het missen als kiespijn dat anderen ze inwrijven dat het moord is."

De Amerikaanse dominee Paul Hill schoot een dokter van een abortuskliniek dood en kreeg de doodstraf. Voor zijn terechtstelling schreef hij: 'De vreugde die ik voelde na het neerschieten van de abortusdokter, en nu nog steeds voel, is de vreugde vrij Christus te hebben gehoorzaamd na lang een slaaf van angstige gehoorzaamheid aan de mens geweest te zijn.'

HOE ONTSTAAN SEKTEN?

Binnen sommige godsdiensten vormen zich kleine groepen van erg fanatieke aanhangers. Ze volgen hun eigen versie van de godsdienst, gewoonlijk gebaseerd op de visie van de leider. Dit soort groepen worden soms sekten genoemd.

Nieuwe rekruten

Waarom komen mensen in de verleiding om zich bij een sekte aan te sluiten? Sommigen doen het, omdat ze een ander leven willen leiden; anderen willen goed werk verrichten. De christelijke groep De Familie beweert bijv.:

"... een internationaal christengenootschap te zijn, dat zich aan het delen van Gods Woord en liefde met anderen wijdt. [We] proberen behoeftigen te troosten en te helpen en het voorbeeld van Jezus na te volgen."

Wanneer mensen eenmaal bij een sekte betrokken raken, ontdekken ze soms dat dingen anders zijn dan ze aanvankelijk leken. Een ex-sektelid zegt nu:

"Terugkijkend op mijn ervaringen kan ik met absolute zekerheid zeggen dat ik er nooit aan was begonnen als ik van meet af aan had geweten wat het echt inhield – maar zo werkt het simpelweg niet bij een sekte."

Een massahuwelijk van volgelingen van dominee Moon, die vaak 'moonies' worden genoemd. Sommige stellen kennen elkaar misschien niet eens, maar trouwen uit gehoorzaamheid aan hun leider.

David Berg stichtte de sekte De Kinderen van God (nu De Familie).

Activiteiten binnenskamers

Sekten proberen vaak hun activiteiten deels geheim te houden voor de buitenwereld. De Familie heette bijvoorbeeld eens De Kinderen van God. De leden werden ervan beschuldigd seks met kinderen te bedrijven. Sommigen probeerden door middel van seks nieuwe sekteleden te werven. Een ex-sektelid herinnert zich:

"Toen ik 15 of 16 was, verbleef een journaliste bij ons thuis. Mijn moeder vroeg me haar mee uit te nemen. Mij was bijgebracht buitenstaanders nooit te vertellen wat er gebeurde, omdat ze toch 'God niet begrijpen'. Mijn moeder was erg tevreden over me, want de journaliste schreef een razend enthousiast artikel."

Een ander ex-sektelid zegt:

"Wanneer een sekte zich ontwikkelt en minder open wordt, houden ze je in een geestelijke wurggreep in hun poging om je de wereldbeschouwing van de leden in te hameren."

"Wanneer je de aardigste mensen ontmoet die je ooit gekend hebt en ze stellen je voor aan de liefdevolste groep mensen die je ooit tegengekomen bent, en je vindt de leider de meest inspirerende, zorgzame, medelevende en begripvolle persoon die je ooit ontmoet hebt, en ze vertellen je vervolgens dat de groep een doel nastreeft waarvan je nooit zelfs maar hebt durven dromen en alles klinkt te mooi om waar te zijn – dan is het vermoedelijk ook te mooi om waar te zijn! Geef nooit je opleiding, je hoop en ambities op om een regenboog te volgen."

Jeannie Mills, ex-lid van De Tempel van het Volk; zij werd later vermoord.

ZIJN SEKTEN GEVAARLIJK?

Soms zijn sekten dermate vastbesloten hun versie van de godsdienst te volgen dat ze zich nagenoeg helemaal isoleren van de buitenwereld. De gevolgen kunnen rampzalig zijn. Sommige sekteleden komen in conflict met de autoriteiten en dat kan in geweld uitmonden.

Belegering

In 1993 rees er een conflict tussen leden van de Branch Davidian-sekte en overheidsagenten in Waco in de Amerikaanse staat Texas. Er barstte een vuurgevecht los – vier agenten stierven en zestien werden verwond, samen met een onbekend aantal Davidians. Daarop werd de commune van de sekte belegerd. David Koresh, de leider van de Davidians, weigerde zich over te geven. Een onderzoeker zei later:

“Jarenlang had Koresh zijn volgelingen gehersenspoeld in deze strijd tussen de kerk en de vijand. [Met het begin van de belegering] kwam zijn profetie uit. Koresh overtuigde zijn volgelingen ervan dat het einde nabij was, zoals hij voorspeld had. Hun vijanden [zouden] hen omsingelen en doden.”

Schijnwerpers verlichten 's nachts de belegerde commune van de Branch Davidians.

De Branch Davidian-commune gaat in vlammen op.

Afloop

Een maand of twee later eindigde de belegering in een tragedie. FBI-agenten probeerden het kamp te bestormen. In het daaropvolgende vuurgevecht kwamen meer dan 70 Davidians om het leven.

Sommigen stellen dat de FBI niet had begrepen hoe sekteleden dachten. De FBI had de Davidians geïsoleerd, wat hun idee bevestigde dat een strijd met de autoriteiten onvermijdelijk was. Koresh zou verklaard hebben: 'We wisten al dat jullie zouden komen nog voordat jullie dat zelf wisten.' Een sektedeskundige zegt daarover:

"Door er schijnwerpers op te richten, keihard muziek te draaien en te proberen hen uit hun slaap te houden, bekrachtigde de FBI de visie van de Davidians op een kwade, duivelse buitenwereld, die hen kwelde. Men had ze picknickmanden met kippenboutjes en limonade moeten brengen en de lievelingsmuziek van Koresh moeten draaien in plaats van hen te behandelen als ratten in de val."

SEKTEN: MASSALE STERFGEVALLEN

GROEP/JAAR	LOCATIE	OMSTANDIGHEDEN/DODENTAL
Tempel van het Volk, 1978	Jonestown, Guyana	914 sekteleden dood aangetroffen
Branch Davidian, 1993	Waco, Texas, VS	Belegering door FBI eindigt met meer dan 70 omgekomen Davidians
Orde van de Zonnetempel, 1994	Cheiry, Zwitserland	48 sekteleden dood aangetroffen op een boerderij

KUNNEN SEKTELEDEN TERRORISTEN WORDEN?

Soms raken sekten zo sterk van de echte wereld vervreemd dat ze buitenstaanders kunnen aanvallen. Een voorbeeld daarvan is de Aum Shinrikyo-sekte in Japan.

Gasaanval

In 1995 verspreidden Aum-volgelingen het dodelijke gas sarin in de metro van Tokio. Door de aanslag werden twaalf mensen gedood en duizenden gewond. De 17-jarige studente Yuli Kim, een Zuid-Koreaanse die in Japan woont, lag als gevolg van de aanslag elf dagen in het ziekenhuis. Tien jaar later zegt ze:

"Mijn symptomen, zoals nachtmerries en vrees voor stations, namen na twee of drie jaar af, wat iets sneller was dan bij de meesten. Ik probeer nu medeslachtoffers te helpen."

Waarom werd de aanslag gepleegd? Waarom wilden Aum-volgelingen doodgewone Japanners op deze afschuwelijke manier treffen?

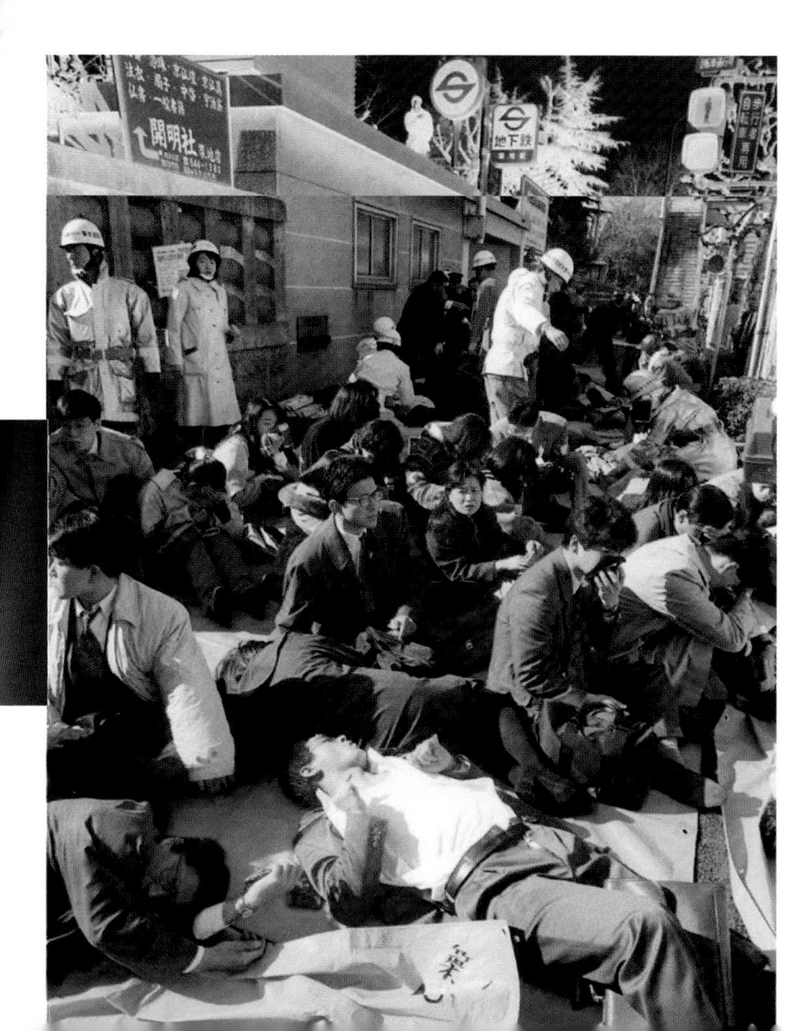

Slachtoffers van de gasaanslag in 1995 worden behandeld. Aum gebruikte het gifgas sarin, dat het zenuwstelsel aantast en tot gevolg kan hebben dat mensen langzaam ophouden met ademen en sterven.

Een Japanse krant bericht dat de leider van Aum, Shoko Asahara, tot de dood door ophanging is veroordeeld.

Gerechtvaardigd?

Voor velen was de aanslag door Aum een daad van het pure kwaad. Maar anderen legden het anders uit. Ze geloofden dat Aum (dat zich nu Aleph noemt) zijn populariteit dankte aan de Japanse samenleving. Op een Japanse website merkte een schrijver op:

“Je werkgever, je geld en de droom van je vader op de eerste plaats laten komen, is geen erg bevredigend leven. Een heleboel mensen voelt zich leeg en zonder hart, als een robot. Het evenwicht is verstoord. We moeten aan een nieuwe, harmonieuze samenleving werken. Anders zullen onze zonen iets heel lelijks worden.”

De filosofie van de Aum-sekte was gebaseerd op het boeddhisme, gecombineerd met spirituele elementen uit andere godsdiensten, waaronder het hindoeïsme en christendom. Volgens een jonge Japanner zijn sekten populair geworden, omdat:

“Het Japanse onderwijs niet in spiritualiteit onderricht. Ik weet zeker dat veel jongeren op zoek zijn naar hoe ze hun leven beter kunnen leiden.”

KUNNEN EXTREMISTEN DE MACHT GRIJPEN?

In sommige landen hebben extremisten de macht al gegrepen. In zowel Iran als, tot 2001, in Afghanistan hebben religieuze bewegingen het hele land bestuurd.

Kwellend talibanregime

Van 1996 tot 2001 regeerde een groep met de naam taliban over het grootste deel van Afghanistan. De taliban waren, en zijn nog steeds, fundamentalistische moslims. Vrouwen mochten bijvoorbeeld niet zonder begeleiding van een man de straat op. Een vrouwelijke arts herinnert zich:

“Mijn man hield een taxi aan om me... naar het ziekenhuis te brengen. Vijf minuten later liet een auto van de religieuze politie onze taxi stoppen... Er zaten drie taliban in. Ik was als de dood. Hij vroeg... waar ga je alleen heen in de taxi? Ik vroeg: “Gaan jullie me slaan?” Hij sloeg me. Ik verborg mijn gezicht. Hij sloeg me verscheidene malen op de rug en armen.”

De taliban werden in 2001 afgezet door een invasie onder leiding van de Verenigde Staten.

Na de val van de taliban konden Afghaanse vrouwen voor het eerst alleen de straat op, winkelen en make-up dragen. Maar ondanks hun nieuwe vrijheid verbergen velen nog steeds hun gezicht onder een boerka.

“Vrouwen hebben in alle aspecten van hun leven op grote schaal onder de systematische en meedogenloze schending van mensenrechten geleden... Duizenden vrouwen zijn lichamelijk mishandeld en in ernstige mate ingeperkt in hun fundamentele vrijheden.”

Humaniteit ontzegd: systematische schending van vrouwenrechten in Afghanistan, Human Rights Watch, 2001

Canadese soldaten zetten de aanval in tijdens de invasie in Afghanistan. De invasie verdreef de regerende extremistische talibanpartij.

Westerse regimes

Sommigen argumenteren dat het niet alleen moslims zijn die willen dat de regering hun godsdienstige opvattingen tot wet maakt. Zo stelde een schrijver:

"Terwijl president George W. Bush het brute islamitische fundamentalistische regime in Kaboel verketterde, stortte hij in alle stilte de fundamenten voor zijn eigen fundamentalistische regime in eigen land."

Maar je kunt nu eenmaal nooit iedereen tevreden stellen. Andere kiezers in de Verenigde Staten vonden dan ook juist dat president Bush niet religieus genoeg was in zijn opvattingen:

"Ik hoor een heleboel christenen zeggen dat ze eenvoudig niet op Bush kunnen stemmen. Ze... vinden dat hij de conservatieve christelijke kiezers in de kou laat staan, en veel te veel de gematigde en zelfs linkse kiezers paait."

KOMT ER OOIT EEN EIND AAN EXTREMISME?

Het hindoeïsme, boeddhisme, christendom en de islam hebben - evenals vele andere godsdiensten - allemaal op een zeker moment in hun geschiedenis extremistische uitwassen meegemaakt. Extremisme bestaat al heel lang. Zal er ooit een eind aan komen?

Naderen we het armageddon?

Sommige deskundigen geloven dat de conflicten tussen religieuze extremisten verergeren. Zoals Benazir Bhutto, de ex-premier van Pakistan, in 2004 zei:

“In zowel de moslim als niet-moslimwereld lijken groepen te zijn die geloven dat een oorlog tussen beschavingen onvermijdelijk is om religieuze redenen.”

Met de moderne hightech wapens en dodelijke gassen zullen toekomstige godsdienstoorlogen in ieder geval meer mensen doden dan ooit voorheen. Een Britse journalist zei in 2004:

“Een botsing tussen beschavingen kan leiden tot het armageddon, waarbij er geen winnaars op aarde zullen overblijven. Maar misschien zijn religieuze extremisten wel helemaal niet uit op winnaars op aarde.”

Gewapende volgelingen van de Iraakse extremistische moslimleider Moqtada al Sadr zwaaien in 2005 met hun wapens.

“De stelling dat mijn geloof bedreigd wordt, omdat jij in iets anders gelooft, is onhoudbaar. Mijn geloof wordt alleen bedreigd als jij iets doet wat mij persoonlijk of mijn medegelovigen bedreigt. Als niemand de ellende begint, kunnen we in volmaakte vrede doen wat ons geloof ons voorschrijft.”

Dan Smith, *The State of the World Atlas,* editie 2003

Kinderen van alle godsdiensten komen samen op het internationale 'Zaad van Vrede'-kamp in de VS. De jaarlijkse bijeenkomst vindt sinds 1993 plaats en wil bevorderen dat mensen in vrede samenleven.

Weg naar de toekomst

Religie speelt een rol in een aantal van de meest gewelddadige conflicten in de wereld. Sommigen vinden dat we daardoor gemakkelijker de vinger op het probleem kunnen leggen, mits we dat durfden. Tot hen behoort de controversiële schrijver Salman Rushdie:

“We draaien maar om de kwestie heen en spreken over godsdienst in de modieuze taal van “respect”. Maar wat valt er te respecteren aan het [religieuze geweld in India] of aan de misdaden die nu bijna dagelijks ter wereld worden gepleegd uit de vreeswekkende naam van godsdienst? Hoe goed, en met wat voor fatale resultaten, richt religie totems op en hoezeer zijn we bereid daarvoor te doden! India's probleem is daarmee het probleem van de wereld. Wat in India gebeurde, gebeurde uit Gods naam. Het probleem heeft een naam – God.”

Voor anderen neemt religie een belangrijke, gezonde plaats in het leven van mensen in:

“Godsdienst kan troost schenken aan wie lijdt. Ze kan overlevenden opnieuw een waardevolle structuur in het universum helpen ontdekken. Ze kan hulp bieden door gewonde geesten te genezen en lessen over hoe we... geweld en gruweldaden kunnen vermijden. Ze KAN dat allemaal doen – waarmee nog niet is gezegd dat ze dat ook altijd doet.”

WAAR VINDEN RELIGIEUZE CONFLICTEN PLAATS?

Religieuze extremisten komen vaak in conflict met leden van andere godsdiensten, omdat ze bij voorbaat alle opvattingen afwijzen die van hun eigen 'ware' godsdienst afwijken. Overal ter wereld vinden we voorbeelden van religieuze oorlogen en geweldsuitbarstingen.

❶ Noord-Ierland

Conflict tussen: protestantse en katholieke christenen
Sinds: 1920
Kenmerken: geweld tegen personen, bomaanslagen, schietpartijen

❷ Bosnië en Kosovo

Conflict tussen: christenen en moslims
Sinds: de jaren negentig
Kenmerken: massa-executies, gedwongen verhuizingen, gevechten tussen gewapende groepen

❸ Tsjetsjenië

Conflict tussen: Russische christenen en islamitische Tsjetsjenen
Sinds: 1991
Kenmerken: bomaanslagen, terroristische aanslagen in Rusland (waaronder Moskou en Beslan) door Tsjetsjeense groepen

❹ Irak

Conflict tussen: soennitische en sjiitische moslims
Sinds: moderne conflict begon in de jaren zestig
Kenmerken: aanvankelijk vervolging van sjiieten door soennitische regering; na invasie in 2003 o.l.v. VS verloren soennieten de macht en begonnen bomaanslagen- en moordcampagne

Een overlevende van de schoolbezetting in 2004 in Beslan, waarbij honderden Russische kinderen en volwassenen door moslimsextremisten werden neergeschoten.

"In januari 2002 zetten Tsjetsjeense rebellen alle christenen op hun lijst van officiële vijanden en zwoeren alle kerken... in Rusland [op te blazen]."

Rusland, Stem van de Martelaren

❺ Israël

Conflict tussen: Joden en Arabieren
Sinds: moderne conflict begon in 1948
Kenmerken: bomaanslagen, schietpartijen, verwoesting van huizen

❻ Afghanistan

Conflict tussen: Taliban en niet-extremisten
Sinds: grofweg 1979
Kenmerken: knok- en schietpartijen, bomaanslagen

❼ Pakistan/India/Bangladesh

Conflict tussen: hindoes en moslims
Sinds: moderne conflict begon in 1947
Kenmerken: rellen, knokpartijen, brandstichting, soms massaslachting

❽ Bali

Conflict tussen: Balinese hindoes en Javaanse moslims, en moslimterroristen en het Westen
Sinds: spanningen namen toe in de jaren negentig
Kenmerken: knok- en steekpartijen, grote bomaanslagen in oktober 2002 en oktober 2005

❾ Ivoorkust

Conflict tussen: christenen en moslims
Sinds: 2000
Kenmerken: overheidstroepen hebben het '*op [moslim]burgers gemunt louter... vanwege hun godsdienst*'. Human Rights Watch, 2001

❿ Verenigde Staten

Doelwit van aanslagen door christelijke terroristen, moslimterroristen
Sinds: jaren 1990
Kenmerken: aanvallen, beschietingen, bomaanslagen

⓫ Groot-Brittannië

Doelwit van aanslagen door moslimterroristen
Sinds: 2005
Kenmerken: aanslagen door islamitische zelfmoordenaars op burgerdoelen

Dit soort zwaarden zie je zelden op politieke bijeenkomsten. De voormalige Indiase premier *(rechts)* lijkt verrast er hier een te zien.

CHRONOLOGISCH OVERZICHT

313 n. Chr. De Romeinse keizer Constantijn staat het voorheen verboden christelijke geloof toe.

325 Constantijn belegt het Concilie van Nicaea om een dispuut tussen twee partijen binnen de christelijke kerk te beslechten. De 'arianen' verliezen en gaan ondergronds.

ca. 610 De profeet Mohammed begint visioenen te krijgen die naar hij meent boodschappen van God zijn. In de daaropvolgende 22 jaar worden zijn visioenen verzameld in het boek met de naam de Koran.

622 Mohammed sticht de islam met de Koran als heilige schrift.

638 Arabische soldaten bezetten Jeruzalem, in Palestina, waar veel islamitische, christelijke en joodse heilige plaatsen zijn.

656 De legers van Ali (Mohammeds schoonzoon) en Aisja (een van zijn weduwes) voeren de Kamelenslag, de eerste oorlog tussen moslims onderling. Uiteindelijk worden de volgelingen van Ali wat tegenwoordig de sjiieten worden genoemd. Andere moslims (de meerderheid) komen bekend te staan als de soennieten.

8ste eeuw 'Moren' (Noord-Afrikaanse moslims) veroveren het grootste deel van Spanje.

1000–1492 Christelijke legers verdrijven de Moren uit Spanje. De laatsten die vertrekken zijn de Moren uit Granada, die de stad liever overgeven dan te laten verwoesten. Sommige Moren blijven in de stad wonen.

1096–1270 Europese christelijke landen organiseren de kruistochten – acht militaire expedities om Palestina, het Heilige Land (nu grotendeels Israël), te heroveren op de moslims.

1212 De Kinderkruistocht naar Palestina vindt plaats. Duizenden jongens en meisjes uit Duitsland en Frankrijk trekken op naar Jeruzalem om de stad op de moslims te heroveren. Geen van de kinderen bereikt het Heilige Land. Velen verhongeren, verdrinken of vriezen dood; anderen keren naar huis terug of worden door moslims als slaaf verkocht.

1550 Alle inwoners van Granada moeten christen worden. Niet-christenen moeten de stad verlaten. Een handvol Moren bekeert zich tot het christendom en komt bekend te staan als 'morisco's'.

1878 Joodse zionisten vestigen zich in Jeruzalem. Zionisten zijn joden die geloven dat ze van God het recht hebben gekregen om opnieuw het Heilige Land op te eisen.

1917 De Verklaring van Balfour: de Britse politicus Arthur Balfour zegt dat het joodse volk het recht moet genieten om zich in Palestina te vestigen. (Palestina staat in deze jaren onder bestuur van Groot-Brittannië.)

jaren dertig–1945 De Holocaust onder nazistisch regime: joden worden opgepakt en naar concentratiekampen gestuurd, waar ze zich dood werken of vermoord worden.

1936 De Arabische revolte: moslims in Palestina komen in opstand tegen de Britten, deels uit protest tegen de joodse immigratie.

1947 India en Pakistan worden onafhankelijke landen, wat in maandenlang geweld tussen hindoes en moslims uitmondt.

1948 Israëls onafhankelijkheidsoorlog: de net gestichte staat Israël wordt door moslimlanden aangevallen. Het Israëlische leger wint en Israël breidt zijn grondgebied uit. Duizenden moslims vluchten.

1967 Junioorlog tussen Israël en de Arabieren.

1971 India helpt Oost-Pakistan in een oorlog tegen West-Pakistan. Oost-Pakistan wordt het onafhankelijke land Bangladesh.

1972 Palestijnse terroristen gijzelen 11 Israëlische atleten op de Olympische Spelen. Twee worden direct gedood; de overige negen komen net als vijf terroristen en een politieagent later om in een vuurgevecht.

1973 Oktoberoorlog tussen Israël en de Arabieren.

1984 De Indiase premier Indira Gandhi (een hindoe) wordt door leden van de sikh-godsdienst vermoord.

1991 De voormalige Indiase premier Rajiv Gandhi wordt door Tamil Tijgers vermoord.

1994–1996, vanaf 1999 Het Russische leger voert oorlog tegen Tsjetsjeense rebellen in Tsjetsjenië. De meeste Tsjetsjenen zijn moslim, de meeste Russen christen.

2001 Terreuraanslagen door moslims met gekaapte vliegtuigen in New York. De VS en hun bondgenoten lanceren een aanval op Afghanistan, waar Osam bin Laden zich schuil zou houden. De extremistische taliban worden verdreven, maar Bin Laden wordt niet gevangengenomen.

2003 Moslimterroristen plegen bomaanslag op Bali, Indonesië; 200 toeristen komen om. Indonesië is overwegend islamitisch, maar Bali is hindoeïstisch en populair bij westerse toeristen.

2005 Moslimzelfmoordenaars doden bij aanslagen op het Londense openbare vervoer 53 mensen. Nieuwe bomslag door moslims op Bali.

VERKLARENDE WOORDENLIJST

antisemitisme Jodenhaat; afkeer van joden omdat ze joods zijn.

armageddon Woord uit de Bijbel ter beschrijving van de strijd tussen de krachten van het goede en kwade aan het eind der tijden (= ondergang van de wereld).

asociaal Gedrag vertonend dat waarschijnlijk anderen ergert, beledigt of kwetst.

belegering Omsingeling door gewapende soldaten met het doel overgave af te dwingen.

Bengalees Betrekking hebbend op of afkomstig uit Bangladesh.

beschermheilige Of schutspatroon; heilige onder wiens bescherming een groep of instelling is geplaatst.

brandstapel Stapel hout waarop ketters of andere vermeende misdadigers (bijv. heksen) verbrand worden.

broedermoord Letterlijk de moord op een broer; figuurlijk de moord op een geestverwant of bondgenoot.

concentratiekamp Kamp waar vijanden worden opgesloten onder slechte omstandigheden in de hoop dat ze sterven of om ze aldaar te doden.

etnische zuivering Een complete bevolkingsgroep – bijv. moslims of zigeuners – in een bepaald gebied doden of dwingen te verhuizen.

fundamentalistisch Strikt, of orthodox, in de leer zijnd.

Gazastrook Een deel van Israël dat onder de Palestijnse Autoriteit valt, maar waar Israëliërs en Palestijnen verhit over ruziën.

genocide Het opzettelijk doden van een compleet volk of complete bevolkingsgroep.

hersenspoelen Iemands oude meningen 'uit zijn hoofd wissen' en vervangen door nieuwe die hij niet zelf ontwikkeld heeft.

Holocaust De massale moord op de joden en anderen door de Duitse nazi's en hun bondgenoten voor en tijdens de Tweede Wereldoorlog.

jihad Een islamitische heilige oorlog of strijd.

ketter Iemand die niet de aanvaarde godsdienstige leer volgt.

kruisvaarder Christenstrijder die in de middeleeuwen tegen de moslims in het Heilige Land vocht.

lynchen Onwettige 'bestraffing' van vermeende misdaden, vaak door de 'overtreder' op te hangen of te verbranden.

profetie Toekomstvoorspelling.

racisme Iemand anders, meestal in benadelende zin behandelen vanwege zijn of haar ras.

spiritualiteit Betrekking hebbend op een hoger geestelijk leven of gedachtegoed, als onderscheiden van de materiële wereld.

zelfmoordenaars Mensen die een bom op het lichaam dragen en zichzelf opzettelijk opblazen om ook anderen te doden of te verminken.

zionisme streven van joden om een eigen staat in Palestina te stichten en te handhaven.

MEER INFORMATIE

Boeken

Lalley, Patrick, *11 September 2001: de terroristische aanslagen op de VS*. Harmelen: Corona, 2003. Beschrijving van de gebeurtenissen op 11 september 2001 in New York en Washington en van de achtergronden van de aanslagen.

Penney, Sue, *Islam*. Etten-Leur: Corona, 2005. Allerlei belangrijke zaken van de islam worden behandeld.

Penney, Sue, *Jodendom*. Harmelen: Corona, 2004. Allerlei belangrijke aspecten van het jodendom worden behandeld.

Woolf, Alex, *Fundamentalisme*. Harmelen: Corona, 2005. Informatie over de geschiedenis van het fundamentalisme en de ontwikkeling ervan.

REGISTER

Cursieve cijfers
verwijzen naar illustraties.

abortus 30-31
Afghanistan 23, 24, *27*, 38, *38*, *39*, 43, 45
al-Qaida 26-47, *26*, *27*
antisemitisme 13, 46
Arabieren 10, 20, 22, 26, 43, 45
armoede 16-17
Aum Shinrikyo (Aleph) 36, *36*, 37, *37*

Bakri, sjeik Omar 24
Bali *23*, 43, 45
Bangladesh 11, 43, 45
Berg, David *33*
Bhutto, Benazir 40
Bin Laden, Osama 17, *17*, 22, 26, 27, 45
boeddhisten 18, 37, 40
Bosnië 14, *14*, 15, *15*, 19, 42
Branch Davidian 34, *34*, 35, *35*
Bush, president 25, 39

Christelijke Identiteit 13
christenen en christendom 4, 8, *8*, 12-13, 28, 29, 37, 39, 40, 42, 43, 44, 45
- abortus 30, *30*, 31, *31*
- Afrika 16, *16*
- Bosnië 14, 19
- sekten *9*, 32, 37
- Spanje 10, *29*
- Verenigde Staten 39

concentratiekampen 15, 45, 46

etnische zuivering 19, 46

Falwell, dominee Jerry 28, *28*
Familie, De 32, 33, *33*
Fortuyn, Pim *24*

Galloway, George 23
Gazastrook *20*, 21, 46
genocide 15, 46
Groot-Brittannië 8, *22*, 43

Hamas *5*
heilige mannen 6, *6*
Hill, Paul *31*
hindoes 6, 11, *11*, 18, 19, *23*, 37, 40, 43, 45
Hooper, John 12

immigratie 24, 45
India 6, *6*, 11, *11*, 14, 19, 41, 43, *43*, 45
Irak 23, 24, *40*, 42
Iran 24, 38
islam *4*, 12, 24, 25, 27, 28, 39, 40, 44
Israël *5*, 14, 20-21, *21*, 22, 27, 43, 45

Japan 36, 37, *37*
Jesus Army 8
Joden 13, 15, 20, 21, 22, 43, 44, 45, 46
Jonestown *9*, 35

Karadzic, Radovan *14*, 15
katholieken 15, 42
ketters 12, 46
Koran 9, 24, 44
Koresh, David 34
Kosovo 19, 42
Kroaten 14, 19, *19*
kruistochten 44, 46
Ku Klux Klan 13, *13*

Londen, bomaanslagen 7, *7*, 23, 25, 45

Mohammed 28, 44
Moon, dominee B. *32*
Moren 10, 44
moslims 9, *16*, 24-25, *25*, 28, *42*, 43, 44, 45
- Afrika 16
- Bin Laden 17, *17*, 26, 27
- Bosnië 14, 15, 19, 42
- Irak *40*
- Israël 20, 21, 22, 45
- Londen, bomaanslagen 7, *7*
- Moren 10, *10*, 44
- Pakistan 11, *11*, 40, 45
- regering 38, 39
- vrouwen *4*, *25*, 38, *38*
- VS, aanslagen op 22, *22*, 23, 26, *26*, 45
- zelfmoordaanslagen 5, 7, *7*, 23, *23*, 43

Noord-Ierland 42

Oost-Timor 19

Pakistan 11, *11*, 14, 19, *22*, *27*, 40, 43, 45
Palestina 20, *20*, 21, *21*, 22, 44, 45
politici 14-15, *14*, *24*, 45
politiek 22-23, *43*
protestanten 15, *12*, 42

racisme 13, 46
Robertson, dominee Pat 4, 28
Rushdie, Salman *4*, 41
Rusland 42, *42*, 45

sekten *9*, 32-37, *32*, *33*
Serviërs 14, *14*, 15, 19
sharia 24
sikhs 11, *11*
Sint-Jacob 10, *10*
sjiieten 42, 44
soennieten 42, 44
Spanje 10, *10*, 16, 44
Sri Lanka 18, *18*, 19

taliban 38, *38*, 39, *39*, 45
Tamil Tijgers 18, *18*, 45
Tempel van het Volk 35, 37
terrorisme 18, 23, *25*, 26, 27, 28, 42, 43, 45
Tsjetsjenië 19, 42, 45

Verenigde Naties 15
Verenigde Staten 9, 13, *13*, 16, 17, 22, 23, 26, 29, 38, 39, *41*, 43, 45
- Bin Laden 17, *17*, 22, 26, 27, 45
- Ku Klux Klan 13, *13*
- taliban 38, *38*, 39, *39*, 45
- Zaad van Vrede *41*

vluchtelingen 20, *20*, *27*, 45

World Trade Centre *26*, 43

Zaad van Vrede *41*
zelfmoordaanslagen 5, 7, *7*, *18*, 21, 25, 43, 45, 46